L'ÉCOLE DES ESPRITS
La malédiction du Rat-monstre
D0273732

Cette histoire est dédiée à l'école primaire de Fairlight, à Brighton, qui « aime beaucoup » mes drôles de livres et m'a « adopté » au printemps 2009 – P. J.

Pour Söloog-Hü, l'ancien dieu nordique des crayons, à qui je consacre mon existence – T. P.

Titre original anglais : Spook School: Curse of the Rat-beast

Cette publication est publiée en accord avec Stripes Publishing LTD

Éditeur : François Doucet
Traduction : Sophie Beaume et Marie de Lafont
Révision linguistique : Féminin pluriel
Correction d'épreuves : Nancy Coulombe, Katherine Lacombe
Montage de la couverture : Mathieu C. Dandurand
Illustrations de la couverture et de l'intérieur : © 2009 Tom Percival
Mise en pages : Mathieu C. Dandurand
ISBN papier 978-2-89733-038-5
ISBN PDF numérique 978-2-89683-979-7
ISBN ePub 978-2-89683-980-3
Première impression : 2013
Dépôt légal : 2013
Bibliothèque et Archives nationales du Québec
Bibliothèque Nationale du Canada

Éditions AdA Inc.
1385, boul. Lionel-Boulet
Varennes, Québec, Canada, J3X 1P7
Téléphone : 450-929-0296
Télécopieur : 450-929-0220
www.ada-inc.com
info@ada-inc.com

Diffusion
Canada : Éditions AdA Inc.
France : D.G. Diffusion
Z.I. des Bogues
31750 Escalquens — France
Téléphone : 05.61.00.09.99
Suisse : Transat — 23.42.77.40
Belgique : D.G. Diffusion — 05.61.00.09.99

Imprimé au Canada

Participation de la SODEC. SODEC
Nous reconnaissons l'aide financière du gouvernement du Canada par l'entremise du Fonds du livre du Canada (FLC) pour nos activités d'édition.
Gouvernement du Québec — Programme de crédit d'impôt pour l'édition de livres — Gestion SODEC.

Catalogage avant publication de Bibliothèque et Archives nationales du Québec et Bibliothèque et Archives Canada

Johnson, Pete, 1965-

(L'école des esprits; 2)
Traduction de : Curse of the Rat-beast.
Pour enfants de 8 ans et plus.
ISBN 978-2-89733-038-5
I. Beaume, Sophie, 1968- . II. Titre.

PZ23.J632An 2013 j823'.914 C2013-940204-7

L'ÉCOLE DES ESPRITS

La malédiction du Rat-monstre

PETE JOHNSON

Illustré par Tom Percival

Chapitre 1
Ma transformation en chauve-souris

C'était une horrible limace visqueuse.

Je me concentrai profondément avant d'ordonner :

— Maintenant, limace visqueuse, saute au nez de Lewis.

La classe put ainsi voir la limace bondir vers mon ami, tellement occupé à faire ses devoirs qu'il ne remarqua pas ce qui s'approchait de lui. Il fallut qu'elle lui arrive devant la figure pour qu'il tressaille.

— Qu'est-ce que c'est que ça ?! cria-t-il.

Toute la classe éclata de rire.

— C'est toi qui as fait ça, Charlie ? lança-t-il.

— Évidemment, répondis-je.

Je sais faire surgir des limaces de nulle part. Et aussi d'effrayantes araignées. Et n'importe quoi d'autre, parce que je suis un fantôme. Comme tout le monde dans cette école. Seulement, nous préférons nous faire appeler « esprits ».

Je suis entré à l'École des esprits depuis quelques semaines et, au début, c'était très effrayant. Il y a pleins d'esprits ici dans ce bâtiment tout gris et entouré de brouillard. Il y a aussi de longs corridors obscurs, avec d'épaisses toiles d'araignée partout. On a plus l'impression de se balader dans un film d'horreur que dans une école.

Je n'avais pas vraiment envie de reprendre les cours, mais ici, on apprend d'étranges choses, par exemple à voler et à traverser les portes et, bien sûr, à faire apparaître des objets de nulle part. Ce soir, nous allions aborder la technique de la métamorphose. J'étais incapable d'attendre.

Notre enseignante, qu'on appelle la Supergoule, entama la leçon ainsi :

– Chacun d'entre vous va se transformer en une petite chauve-souris brune. Vous allez commencer par imaginer que vous la voyez. Représentez-la-vous aussi clairement que possible et criez « Métamorphose ! ».

Nous nous concentrâmes donc tous sur la chauve-souris, puis nous criâmes « Métamorphose ! » et attendîmes. Rien ne se produisit.

– Concentrez-vous plus fort ! dit l'enseignante.

À présent, la salle était tellement silencieuse qu'on aurait entendu une toile d'araignée tomber.

– Métamorphose ! criai-je de toutes mes forces.

Soudain, cela se produisit. J'étais transformé en chauve-souris. Le premier de ma classe.

Lewis me suivit presque aussitôt. J'en fus content, parce que c'est le premier esprit que j'ai rencontré ici, et aussi mon meilleur ami.

— C'est trop sympa ! s'exclama-t-il en battant des ailes.

— Génial ! répondis-je.

Bientôt, la salle grouillait de chauves-souris qui voletaient et plongeaient dans tous les sens.

— Quelle super leçon, Supergoule ! dis-je en bouclant la boucle.

— Bien, répondit-elle, mais ce sera suffisant pour une première fois. Il est temps de revenir à votre forme normale. Alors, vous allez tous vous concentrer et dire « Métamorphose arrière ».

Elle attendit que nous ayons tous repris notre forme avant d'ajouter :

— Je rappelle qu'aucun de vous ne doit tenter de se métamorphoser en dehors des leçons. Est-ce bien compris ? Ce pourrait être dangereux si vous le faisiez seuls.

Dangereux ! Que voulait-elle dire ?

Le cours fini, tout le monde partit en flottant vers le dortoir. Les discussions tournaient avec animation autour de la métamorphose. Le jour se levait, et nous aurions dû nous apprêter à dormir (oui, tous les esprits dorment, le jour) lorsque Paul, l'un de mes camarades, me mit au défi de reprendre ma forme de chauve-souris. Aussitôt, les autres lui emboîtèrent le pas — sauf Lewis.

— Je crois que tu ne devrais pas, me dit-il anxieusement.

— Mais pourquoi ?

— Parce que la Supergoule a dit que ce pourrait être dangereux.

J'éclatai de rire et dis :

— Je suis sûr qu'elle disait ça pour nous faire peur.

— Non, franchement, je ne le sens pas, insista Lewis. Et tu ne vas pas encore t'attirer des ennuis… alors qu'on est peut-être sur le point de se voir confier une nouvelle mission.

Certains esprits sont envoyés sur terre pour enquêter sur les mystères et autres manifestations fantomatiques. C'est la Brigade des esprits. Lewis et moi en faisons partie. Récemment, nous avons rempli notre première mission : démasquer le terrifiant Homme-papillon. Aucun autre esprit n'y était parvenu, avant Lewis et moi. Ça nous a bien secoués, mais à présent, nous nous préparons pour la suivante.

J'hésitai un instant, mais finis par expliquer :

— Écoute, Lewis, je veux juste me changer en chauve-souris 30 secondes. Il ne peut rien se passer dans un si court intervalle, pas vrai ? Alors maintenant, tout le monde se calme pendant que je me concentre.

— En fait, c'est toi qui n'arrêtes pas de parler, marmonna Paul.

— Eh oui !

Cette fois, je décidai de donner une taille et une queue impressionnantes à ma bestiole. Je fermai les yeux, me la représentai le plus clairement possible et criai :

— Métamorphose !

Aussitôt, je me retrouvai en train de voleter autour du dortoir, sous les acclamations de mes camarades.

— Elle est belle, ma chauve-souris, non ? m'écriai-je en virevoltant à une vitesse extraordinaire.

Une fois que j'eus traversé la salle cinq ou six fois, Lewis lança :

— Charlie, ça y est, ton temps est échu.

J'allais si vite que j'en avais un peu le tournis et j'étais donc bien content de m'arrêter. Je criai :

— Métamorphose arrière!

Mais ça ne changea absolument rien. Au lieu de cela, il se passait une chose terrible.

Je n'arrêtais plus de voler.

Chapitre 2
Le défi qui tourna mal

Trente secondes plus tard, je battais toujours des ailes à travers le dortoir. Ils croyaient tous que j'en rajoutais.

– Charlie, redescends ! lança Lewis.

– Métamorphose arrière ! m'égosillai-je.

Mais rien ne se produisit. Je continuais d'aller et venir dans tous les sens, comme dans des montagnes russes. Et tout le monde s'époumonait à me crier des trucs.

– Taisez-vous, balbutiai-je. Je ne peux pas m'arrêter, j'ai la tête qui tourne.

Et là, je ne fis qu'aggraver mon cas.

Je lâchai une sorte de petite boulette pâteuse. En fait, il s'agissait d'un excrément de chauve-souris. Avec des cris d'effroi, les esprits coururent se réfugier à l'abri tandis que j'en laissais échapper d'autres.

Il y en eut même un qui atterrit sur la tête de Paul.

— Beurk! couina-t-il en se frottant les cheveux. C'est dégoûtant. Ça ne veut pas s'en aller.

— Ça te va très bien! m'esclaffai-je.

— Tu l'as fait exprès!

— Pas du tout, avouai-je en entamant mon quatre-vingt-quinzième tour.

— Je vais le dire à la Supergoule ! cria Paul.

— Arrête ! intervint Lewis. On a tous poussé Charlie à se transformer. On est tous responsables.

— Excusez-moi, criai-je, mais je voudrais bien redescendre. Qui peut me dire ce que je dois faire ?

— Pas moi, laissa tomber Paul avec un sourire mauvais.

— Alors, il va falloir prévenir la Supergoule, ajouta Ray.

Je me sentais tellement mal que je ne protestai pas.

— Je vais la chercher, proposa Lewis.

— Dépêche-toi, avant qu'il recommence à nous envoyer des crottes, dit Paul.

Lewis courut vers la porte — mais s'arrêta net.

— Qu'est-ce qu'il y a ? demandai-je.

Il ne répondit pas. Toute la salle était maintenant plongée dans le silence. Quelqu'un se dirigeait vers notre dortoir.

Ce n'était pas la Supergoule, mais le Spectromaître.

Chapitre 3
De gros ennuis

Il y a des enseignants qui font peur.

D'autres qui font très peur.

Et puis il y a le Spectromaître : le directeur de l'école. On dirait un lion féroce…, et c'est son air habituel. Mais quand il se met en colère, une brume glaciale l'enveloppe. Et là, je la voyais monter autour de lui. Il me jeta un regard noir.

— Que se passe-t-il, par ici ? demanda-t-il.

— Euh… c'est-à-dire… J'ai juste voulu me transformer en chauve-souris 30 secondes, mais ça n'a pas bien marché, comme vous pouvez le voir.

Un rire nerveux m'échappa lorsque je passai juste devant son nez.

— Et maintenant, je n'arrive plus à m'arrêter.

À ma grande consternation, je laissai encore échapper un excrément de chauve-souris. Il se posa sur la veste noire du Spectromaître, dans un lourd flac.

Personne n'osa rire, mais je savais que certains avaient du mal à se retenir.

— Ça suffit ! tonna-t-il.

— Attendez, intervint Lewis. Il ne sait pas comment s'arrêter.

— Si, dit le Spectromaître. Charlie, regarde-moi.

Je me tournai vers lui pour obéir, tout en continuant de voleter désespérément à travers la salle.

— À présent, crois en tes pouvoirs et dis : « Je peux m'arrêter maintenant ».

Sans quitter des yeux son visage sévère, je répétai :

— Je crois en mes pouvoirs et je peux m'arrêter maintenant.

Ce qui ne m'arrêta pas vraiment, mais j'avais un peu ralenti.

— Continue, Charlie, ordonna-t-il.

J'essayai encore et encore, et chaque fois, je ralentissais un peu plus, comme un jouet aux piles usées. À la longue, je finis par m'arrêter et retombai au sol.

— Ouf ! Ça va mieux, dis-je.

Le Spectromaître me fusilla du regard.

— Reprends immédiatement ta forme ! ordonna-t-il.

Ça, c'était facile, maintenant que je ne volais plus. Quelques secondes plus tard, j'avais retrouvé mon état normal. Je lui souris.

— Ah ! Ça fait du bien. Merci un milliard de fois, Spectromaître, j'ai cru que j'allais rester toute ma vie une chauve-souris.

Il ne me rendit pas mon sourire, et la brume glacée qui l'entourait semblait plus épaisse que jamais. Je m'aperçus alors que tous mes excréments avaient également disparu.

— Merci aussi d'avoir nettoyé...

— Tu t'es relâché sous le coup de la peur, expliqua le Spectromaître. Dans cet état, tous tes pouvoirs ont disparu.

— Bon, tant mieux, il n'y a pas de mal...

— Lewis et toi, dans mon bureau immédiatement ! ordonna-t-il d'une voix tonitruante.

— Pas Lewis, implorai-je. Il n'y est pour rien.

— Dans mon bureau, tous les deux.

Et il disparut. Nous n'avions plus qu'à le suivre le plus vite possible.

Bien qu'il fasse plein jour dehors, les corridors paraissaient sombres comme au fond d'une grotte.

— Désolé… commençai-je.

— C'est bon, murmura Lewis.

— Pas un mot, Lewis ! ordonna le Spectromaître.

À l'approche de son bureau, l'obscurité devint encore plus profonde. Seule la flamme d'une minuscule bougie répandait une lueur qui atteignait le plafond. Un brouillard gris entrait par la fenêtre, si épais que la porte semblait apparaître de nulle part.

Le Spectromaître la traversa et nous ordonna de le suivre.

Son bureau ressemblait à tous les bureaux de directeurs, avec une grande table, un fauteuil confortable pour lui et une chaise très inconfortable pour les élèves qui avaient le malheur de se voir convoqués chez lui. Mais aujourd'hui, il ne s'installa pas à sa place, préférant flotter au plafond, si bien que la brume glacée l'entourait comme un muret.

– La Supergoule vous avait dit de ne pas chercher à vous métamorphoser tout seuls, n'est-ce pas ?

Je répondis en chœur avec Lewis :

– Oui.

– Eh bien, Charlie, pourquoi as-tu désobéi à ses instructions ?

– C'était un défi, répondis-je hâtivement.

Le Spectromaître se rembrunit encore.

– Lewis, pourquoi ne l'as-tu pas arrêté ?

– Il a essayé… commençai-je.

Telle une guêpe géante, le Spectromaître se déplaçait avec des mouvements irrités au-dessus de nos têtes.

— Je m'adresse à Lewis. Tu es l'ami de Charlie et tu es ici depuis plus longtemps que lui. Tu devrais pourtant le savoir. Tu aurais dû l'empêcher de commettre ces sottises au point de gâcher ses pouvoirs.

Sans laisser à mon ami le temps de répondre, il ajouta :

— Savez-vous pourquoi je passais près de votre dortoir ?

— Vous nous avez entendus faire du bruit ? hasardai-je.

— Non. Je venais vous chercher, tous les deux.

Comme moi, Lewis écarquilla les yeux.

— Vous ne veniez pas nous confier une autre mission, n'est-ce pas ? s'exclama-t-il.

— Si, en effet. Mais au vu de votre inconduite, j'ai changé d'avis.

Chapitre 4
Le Rat-monstre

— Vous ne pouvez pas faire ça ! criai-je. Laissez Lewis tranquille. Il n'a rien à voir là-dedans.

— Oh non ! dit mon ami. Je ne pars pas sans toi.

— Silence, tous les deux ! rugit le Spectromaître, si fort qu'il en fit vibrer les toiles d'araignée.

— Pardon, soupirai-je, mais on avait tellement hâte à la mission suivante !

— Je le sais bien, et j'ai été très impressionné par la façon dont vous avez résolu le mystère de l'Homme-papillon. Mais comment te faire confiance, Charlie ? Comment puis-je être certain que tu ne vas pas te conduire comme un enfant de trois ans et désobéir encore aux instructions ?

— Parce que j'ai changé, je suis un nouveau Charlie et je promets de ne plus jamais faire de bêtises !

Et j'étais sincère.

— Tu promets de ne plus jamais faire de bêtises, répéta le Spectromaître.

Pourtant, j'aurais juré avoir vu un sourire lui éclairer le visage. D'ailleurs, le mur de glace l'entourant fondit soudain pour faire place à un minuscule nuage, qui finit à son tour par disparaître.

— Tu me rappelles quelqu'un, reprit le Spectromaître. Moi-même, à ton âge.

Une autre esquisse de sourire passa sur son visage. Je n'y comprenais plus rien.

— Je n'arrive pas à vous imaginer comme moi… ni moi comme vous.

Ce à quoi il dit la plus étonnante des réponses :

— Approchez un peu, et je vais vous parler de votre mission.

Il ne fallut pas nous le répéter deux fois.

— Je vais vous raconter l'histoire d'un gamin sur terre, appelé Tim Webb, qui est hanté par un fantôme effrayant. Une nuit, alors qu'il se trouvait dans sa chambre, il a entendu un étrange murmure. Au début, il n'a rien vu rien, mais il a bientôt aperçu un rat minuscule qui courait par terre, tellement minuscule qu'on aurait pu le mettre dans une boîte d'allumettes. Mais ensuite, il s'est mis à grossir.

— Wow ! soufflai-je.

Le Spectromaître fronça les sourcils. Il n'aimait pas être interrompu.

— Le rat a continué de grossir, jusqu'à ce qu'il dépasse nettement la taille d'un rat normal. Terrifié, Tim s'est enfui en hurlant, mais quand il est revenu accompagné de ses parents, le rat avait disparu. Cette nuit-là, Tim a encore vu ce Rat-monstre, qui avait repris sa taille miniature et se remettait à grandir. Cette fois, Tim a appelé ses parents, mais même si la bête était encore là à leur arrivée, ils ne l'ont pas vue et ont cru que leur fils avait tout inventé. Il semblerait que seuls les enfants puissent voir ce rat fantôme.

— C'est étrange, commenta Lewis.

— Très étrange, acquiesça le Spectromaître, et cela m'irrite beaucoup. Les fantômes ne devraient jamais faire volontairement peur à un humain, encore moins harceler un enfant. Bien entendu, Tim a désormais très peur de se retrouver seul, car il est persuadé que ce rat va revenir. Et il ne comprend pas pourquoi cette bête s'en prend à lui. Ce soir, son amie Susie va venir surveiller le fantôme avec lui. Je voudrais que vous y soyez également.

— Génial ! criai-je.

— Mais en restant cachés, bien sûr, ajouta le Spectromaître. Il ne doit pas avoir conscience de votre présence. Vous ne devez vous montrer aux humains qu'en cas d'urgence. Pour y parvenir, il vous suffit de dire « Visualise-moi ».

— C'est les filles qui disent ça ! raillai-je.

Devant l'air outré du Spectromaître, je murmurai :

— Pardon.

— Il vous suffit de dire « Visualise-moi » deux fois, suivi du nom de l'humain à qui vous voulez apparaître. Mais il n'est pas question de vous métamorphoser. Vous manquez trop d'entraînement pour ça. D'autant qu'à ce moment-là, tous les humains peuvent vous voir dans votre nouvelle forme.

— On ne fera pas ça, promis-je.

— Une dernière chose, continua le Spectromaître. Nous avons déjà un

suspect dans cette affaire, un fantôme connu pour harceler les humains depuis longtemps. Il fait partie de la catégorie des croquemitaines.

— Bien choisi, marmonnai-je.

— Il en existe un tout près de chez Tim, à Marlow. Il s'appelle Oswald et prend souvent l'aspect d'un ogre. Cependant, il ne s'était encore jamais métamorphosé en rat. Il prétend également avoir cessé de harceler les gens, mais il reste notre principal suspect. Surtout, ne vous battez pas contre lui. Est-ce clair ?

Tout comme moi, Lewis hocha la tête.

— Je vous demande seulement de découvrir quel fantôme fait si peur à cet enfant et de poliment lui demander d'arrêter, continua le Spectromaître. Vous viendrez ensuite me faire votre rapport. Lewis, tu es responsable de cette mission. Ce qui signifie que toi, Charlie, tu dois te conformer à ce qui te sera dit. C'est compris ?

— Très bien, dis-je. De toute façon, je ne contredis jamais Lewis sur rien du tout.

Mon ami ne put s'empêcher de pouffer de rire, mais termina sur une quinte de toux.

— Vous allez partir sur la Terre dans quelques heures, dès la tombée du jour. La Supergoule vous donnera vos dernières instructions. Entre-temps, tâchez de dormir un peu.

Ce qui était bien sûr impossible. Lewis et moi étions beaucoup trop énervés. Notre discussion dans le dortoir finit par réveiller tout le monde.

Puis vint l'heure du départ. Tous les autres esprits nous adressèrent leurs mugissements d'adieux, et la Supergoule nous indiqua où Tim habitait.

— Dites « Voyage, esprit » et pensez fort à l'endroit où vous allez.

— Tu sais, me confia Lewis en souriant, j'ai l'impression qu'on n'oubliera jamais cette mission.

Et c'est exactement ce qui se produisit.

Chapitre 5
Le retour du Rat-monstre

À 18 h, nous atterrissions devant la maison de Tim, en plein orage. Les éclairs zébraient le ciel, le tonnerre grondait, le vent hurlait.

En face de la maison s'étendait un grand parc. En temps normal, il devait fourmiller d'enfants jouant à la balançoire et au soccer, mais ce soir-là, il était totalement désert.

En attendant l'arrivée de Susie, Lewis et moi discutions de la mission. Une pluie violente inondait le paysage, mais elle ne faisait que glisser à travers les esprits que nous étions, sans nous mouiller.

— Regarde ! lança Lewis en désignant la maison de Tim.

Un garçon à l'air anxieux jeta un coup d'œil par la fenêtre de l'étage.

— Ce doit être Tim.

Une voiture se gara devant l'entrée, et une fille en sortit, s'abritant sous un large parapluie.

— Et ce doit être Susie, renchérit Lewis.

Elle pataugea jusqu'à la porte et s'apprêtait à sonner quand une voix retentit :

— Susie ! Susie ! Attends, s'il te plaît.

Elle fit volte-face vers un jeune garçon qui devait porter au moins quatre écharpes et un drôle de chapeau pointu.

— Susie, s'essouffla-t-il, tu pourrais au moins me répondre !

— Non, tu as fait un truc immonde, et ne me dis pas le contraire. On t'a pris la main dans le sac.

— Mais écoute-moi…

— Non, désolée, Rhys ; tu n'es plus mon ami.

Là-dessus, elle lui tourna le dos et tira la sonnette. Sur le coup, il parut découragé, mais il finit par rabattre son chapeau sur son visage et se précipita vers le parc.

— Je me demande ce qu'il a fait de mal. Lewis, tu veux que j'aille lui demander ?

Lewis me fixa du regard.

— Le Spectromaître a dit qu'on ne devait se manifester aux humains qu'en cas

d'urgence. Là, ce n'en est pas une. De toute façon, ce garçon n'a rien à voir avec notre mission… On est ici pour écarter le Rat-monstre. Et c'est moi le chef, je te rappelle.

— Je sais, mais…

— Et le chef te dit qu'on va voir Tim, dit fermement Lewis.

— C'est bon, je croyais…

Mais Lewis s'élevait déjà vers la fenêtre de Tim.

— Tu n'as rien oublié ? lui demandai-je.

— Quoi ?

— Les humains ne voient pas les fantômes… sauf si les fantômes veulent se montrer, mais…

— Ils peuvent nous entendre, sauf si on dit « Silence, esprit », coupa Lewis.

Ce qu'il répéta deux fois. Je fis de même.

Tim habitait une chambre de garçon tout à fait classique, pleine de livres et de jeux vidéo. Aux murs s'affichaient des médailles de sport et des photos de son équipe de soccer (Chelsea, hélas).

Rien d'inquiétant dans tout ça. Ce n'était pas le genre d'endroit qu'on aurait pu imaginer hanté par un fantôme.

Nous venions de nous poser au sommet de l'armoire quand Tim et Susie entrèrent brusquement.

— Devine qui est devant ta porte en ce moment, dit Susie. Rhys.

— Qu'est-ce qu'il voulait ? demanda Tim agacé.

C'était un garçon de haute taille aux cheveux bruns et aux yeux noirs.

— Je n'ai pas cherché à le savoir, répondit Susie. Je ne tiens plus du tout à ce qu'on reste amis. Il m'a volée.

— Ah, c'est ça ! sifflai-je.

— S'il voulait bien le reconnaître, poursuivit-elle, on pourrait rester amis, reprit Susie. Mais même quand on a retrouvé mon téléphone cellulaire dans son casier…

— Laisse-le tomber, coupa Tim. J'ai d'autres choses à penser. Je suis poursuivi par un horrible fantôme.

— Je ne crois pas aux fantômes. En fait, je suis certaine que ça n'existe pas.

Échangeant un sourire avec Lewis, je lançai :

— Je me demande ce qu'elle dirait si elle savait qu'il y en a deux en ce moment dans cette chambre.

D'un seul coup, je filai lui souffler dans l'oreille. Elle sursauta. Lewis pouffa de rire, tandis que j'attaquais l'autre oreille. Elle en resta bouche bée.

— Ça va ? demanda Tim.

Elle déglutit, puis répondit :

— Oui, très bien.

Lewis se tordait de rire.

— Je vais remuer quelques CD, annonçai-je.

— D'accord, vas-y.

Mais une seconde plus tard, il se récriait :

— Hé, arrête ! On n'est pas là pour tout ficher en l'air, mais pour résoudre un mystère.

— On ne peut pas faire les deux ?

— Non ! On dirait un bébé de trois ans.

— Pas du tout, rétorquai-je, vexé. Et puis toi aussi, tu riais.

Lewis ignora ma remarque.

— C'est moi le chef de cette mission. Tu dois faire ce que je dis. Reviens ici, maintenant.

Je le rejoignis sur l'armoire. Tim et Susie se mirent à jouer sur l'ordinateur.

Soudain, Susie demanda :

— Tu ne trouves pas qu'il fait froid, ici ?

— C'est vrai, approuva Tim en hochant la tête. L'air devient glacé. Ça indique la présence d'un fantôme dans le coin.

— C'est plutôt à cause de l'orage, répliqua-t-elle fermement. Je te dis que les fantômes n'existent que dans les contes, ajouta-t-elle plus fort encore.

Elle revint à l'ordinateur et, pendant un moment, on n'entendit plus que le vent faisant vibrer les fenêtres.

— Et ça, reprit Susie, ce n'est pas un fantôme qui essaie d'entrer.

— Je sais, dit Tim. Mais tu ne trouves pas l'ambiance un peu bizarre, comme s'il allait se produire quelque chose ?

— Tu dis n'importe quoi !

— Écoute, siffla Tim. Tu n'entends rien ?

Tim se leva. Soudain, il se figea, l'air affolé. Il avait entendu quelque chose. D'un seul coup, Lewis et moi l'entendîmes aussi, ce léger murmure qui évoquait vaguement le cri d'un bébé singe.

— Tu as entendu ? demanda Tim.

— Non.

Pourtant, Susie paraissait anxieuse.

Tout à coup, un rat minuscule sortit en trottinant d'une rangée de livres. Il n'était pas plus gros qu'une araignée.

— Il est là, dit Tim d'une voix rauque. Regarde.

— Je ne vois toujours rien ! cria Susie.

À mon avis, elle faisait semblant.

Ce fut là que le rat se mit à grossir, atteignant vite la taille d'une grosse araignée, puis d'une souris.

— Tu le vois, maintenant, ne me dis pas le contraire ! hoqueta Tim.

Susie se leva pour contempler avec effroi le rat qui continuait de gonfler.

Il atteignait maintenant le volume d'un fox-terrier, et une lueur féroce brillait dans ses yeux.

En même temps, le murmure qu'il émettait grandissait aussi, au point d'envahir maintenant toute la pièce de ses chuintements inquiétants.

— Bizarre, dit Lewis.

— Vraiment bizarre, acquiesçai-je.

Poussant un cri perçant, Susie sortit et dévala l'escalier, Tim sur ses talons.

— Il est temps d'intervenir, commenta Lewis. On y va.

Je hochai la tête, laissai échapper un petit rot, comme chaque fois que je suis tendu, et, après lui, me posai devant la bête. Elle avait la taille d'un poney maintenant.

— Brigade des esprits ! annonça Lewis d'une voix suraiguë et tremblotante. Vous allez répondre à nos questions. IMMÉDIATEMENT.

Chapitre 6
Qui êtes-vous ?

— D'abord, commençai-je, qui êtes-vous ?

Le rat géant ne répondit pas.

— Allez, parlez ! criai-je.

Mais le rat demeurait silencieux. Tout d'un coup, sa patte se mit à remuer, nous faisant bondir en arrière.

— C'est toi qu'il désigne, dit Lewis.

— Je m'en fiche, répliquai-je en avançant d'un pas. En plus, c'est mal élevé de montrer du doigt. Alors vous, qui que vous soyez, dites quelque chose.

Au lieu de répondre, le Rat-monstre disparut.

— Hé, revenez ! criai-je. On n'a pas encore fini.

Des pas résonnèrent dans l'escalier. Tim et son père entrèrent en trombe. M. Webb se mit à ouvrir les tiroirs, à regarder sous le lit.

— S'il y a un fantôme ici, montrez-vous, parce que je voudrais bien finir mon thé ! dit-il.

J'adressai un clin d'œil à Lewis. Bien entendu, aucun de nous ne bougea.

– Le rat est parti, dit Tim.

– Je vérifie quand même, répondit son père en ouvrant l'armoire.

– Papa, ce n'est pas drôle.

Celui-ci lui posa un bras sur ses épaules.

– L'imagination peut créer de puissantes illusions, surtout un soir comme ça. Tu as même fait peur à cette pauvre Susie. Viens, redescendons. Je vais te préparer un chocolat chaud.

Nous n'avions plus besoin de rester, préférant nous asseoir dans le parc en attendant minuit pour pouvoir prendre contact avec le Spectromaître (car c'est l'heure à laquelle les fantômes sont les plus puissants). Lewis dut faire le vide dans sa tête pour que la voix du Spectomaître puisse y résonner sans difficulté.

Le Spectromaître écouta son compte-rendu, puis nous conseilla de rester très prudents. Il nous dit également d'aller

à Marlow pour y interroger le principal suspect : Oswald, l'ogre.

— Génial ! m'exclamai-je. J'ai toujours rêvé de rencontrer un ogre.

Chapitre 7
Interrogatoire d'un croquemitaine

Finalement, Lewis préféra qu'on se rende à Marlow par le train plutôt qu'en volant.

— Ça fait tellement longtemps que je n'ai pas pris de train, expliqua-t-il. J'aimais bien ça.

Minuit passé, le wagon paraissait à peu près vide, si bien que chacun put choisir une bonne place devant les fenêtres où défilait un paysage au clair de lune.

— Si j'étais un fantôme sur terre, dit Lewis, je voyagerais en train toutes les nuits.

— Quel paresseux ! m'esclaffai-je.

Il fallut tout de même flotter pour sortir de la gare de Marlow, puis jusqu'à la maison d'Oswald.

– N'oublie pas, me dit Lewis, c'est un croquemitaine, et le Spectromaître veut qu'on les traite avec beaucoup d'égards. Alors, tu vas me laisser parler.

– Je ne dirai pas un mot.

– Parfait.

Oswald hantait une vieille maison à l'aspect lugubre. Je suivis Lewis pour traverser la porte d'entrée.

— Bonsoir, Oswald ! lança-t-il. Brigade des esprits, nous avons quelques questions à vous poser.

La réponse ne fut pas immédiate, mais soudain, un rugissement terrifiant retentit, qui se répercutait encore à travers nos oreilles longtemps après s'être achevé.

— Voilà un cri à vous dresser les cheveux sur la tête, commenta Lewis. Mais nous, on ne risque rien. Pas vrai, Charlie ?

Je préférai ne pas réagir.

— Allez, insista Lewis, tu as le droit de me répondre.

— Tu crois ? marmonnai-je. Merci bien.

— Arrête tes bêtises ! Bon, ce cri provenait de cette pièce, on dirait.

Il désigna un sombre couloir.

— Tout à fait.

— Alors, on y va, ajouta-t-il en déglutissant. Suis-moi.

Il se mit à flotter vers une grande pièce complètement obscure, mais bien sûr, c'est justement dans le noir que les fantômes voient le mieux. Un feu crépitait dans la cheminée, projetant des ombres sur les murs, et le plancher craquait sous le poids d'une énorme silhouette tapie dans un coin. Une voix râpeuse demanda :

— Que faites-vous dans ma maison ?

J'avais devant moi la tête la plus effrayante que j'aie jamais vue, avec un œil énorme au milieu qui ne cillait pas. Dessous apparaissaient un drôle de nez ratatiné et une grosse bouche aux dents jaunes dégoûtantes. La peau était marquée de taches et de cicatrices. Mais le pire de tout, c'était ce truc qui lui pendait au bout des narines.

Une pustule.

Gigantesque, grisâtre, qui semblait sur le point de tomber à tout moment. Une autre lui maculait le menton. On aurait dit deux pommes pourries.

Cet ogre paraissait si effroyable que nous ne pouvions détacher nos yeux de lui. D'ailleurs, nous aurions eu du mal à regarder ailleurs, tant il nous bouchait la vue de sa masse envahissante.

— Ils en font une tête, ces freluquets ! Vous n'avez jamais vu d'ogres ?

Sa voix puissante grondait comme le tonnerre tandis que nous secouions la tête.

— Eh bien, vous n'en verrez jamais deux comme moi. Effroyable, pas vrai ?

Nous demeurions toujours aussi muets.

— Mais vous ne pouvez pas rester, continua-t-il. Je serai le seul à hanter ces lieux.

— Oh, on ne veut pas s'installer ici, assura vivement Lewis. On est de la Brigade des esprits et on vient enquêter sur les incidents qui se sont produits dans les parages.

Oswald partit d'un rire sec.

— Et bien sûr, vous me croyez coupable ?

— Disons que vous faites partie des suspects, reconnut Lewis. Il y a un fantôme qui se rend dans la maison d'un garçon et se métamorphose en une espèce de rat. Le garçon s'appelle Tim Webb. Vous le connaissez ?

Oswald écarquilla son œil et poussa un cri assourdissant.

— C'est injuste, on m'accuse toujours de tout ce qui se passe ici !

— C'était pareil pour moi à l'école, assurai-je.

— Alors, tu vois ce que je veux dire. On s'en prend continuellement aux mêmes ! Et j'en fais partie. Mais je ne connais pas ce garçon. Je ne l'ai jamais approché. D'ailleurs, je passe toutes mes nuits ici.

— Il y aurait un autre esprit pour en témoigner ? demanda Lewis.

— Non, parce que comme je vous l'ai dit, je hante seul cette maison. Je n'ai jamais cherché à faire peur aux humains.

Ce n'est qu'un immense malentendu. Je ne suis qu'un fantôme qui aime jouer les ogres ; ça me réjouit. Mais je ne sors pas pour faire peur aux gens. Je reste bien tranquillement ici, auprès de ma seule humaine, Mme Pierce.

À cet instant s'éleva une voix tremblante :

— Oswald, es-tu là ?

— Elle m'appelle presque tous les soirs, expliqua-t-il. Elle se sent seule, elle aime bien que je passe la voir.

— En tant qu'ogre ? demandai-je.

— Oh non ! dit Oswald. Regardez.

Il porta une main sur son visage, et en moins d'une seconde, il se changea en un humain de haute taille, à la moustache et aux cheveux gris, aux yeux pétillants de malice.

— Je n'ai jamais vu personne se métamorphoser aussi vite, commentai-je.

— Vous ne trouverez personne de plus rapide sur terre, assura-t-il fièrement. Maintenant, si vous voulez bien m'excuser, il faut que je m'occupe de Mme Pierce.

Après son départ, Lewis se tourna vers moi.

— Tu crois qu'il dit la vérité ?

— Oui. Et même s'il est assez répugnant, je l'aime bien.

— N'empêche, il ne peut pas prouver que ce n'est pas lui, le Rat-monstre.

— Oui, mais nous, on ne peut pas prouver le contraire.

Sans laisser à Lewis le temps de répondre, Oswald était revenu.

— Mme Pierce va bien, maintenant. Contrairement à la plupart des humains, elle est contente de savoir qu'il y a un fantôme dans sa maison. Attendez un instant, je vais encore me transformer.

En un clin d'œil, il était redevenu un ogre.

— J'ai réfléchi à votre histoire, reprit-il en s'installant dans un fauteuil près du feu. Je suppose que vous allez retourner dans la maison de ce garçon demain.

— Oui, dit Lewis.

— Dans ce cas, j'ai une bonne nouvelle pour vous. Je vous accompagne.

Ses dents jaunes s'écartèrent sur un large sourire. Lewis et moi n'en revenions pas.

— Je vais vous aider, petits esprits, à attraper ce fantôme et vous prouver que je n'ai rien à y voir. Alors, quelle est son adresse ?

Lewis m'interrogea du regard. Fallait-il vraiment accepter Oswald avec nous ?

— Euh… merci pour votre offre, finit-il par dire, mais il vaudrait mieux que la Brigade des esprits agisse seule.

La voix d'Oswald monta d'un ton.

— Mais vous devez me laisser une chance de prouver que je ne suis pas un croquemitaine ! Il m'arrive juste de m'emballer quelquefois, comme vous à l'école, j'imagine.

Il me regarda avant d'ajouter :

— On ne cherche pas à faire de bêtises…

— Non, c'est vrai…

— Toi et moi, on se ressemble beaucoup, dirait-on, dit Oswald.

— J'en ai l'impression, répondis-je en souriant.

— Alors, laisse-moi vous accompagner.

Il ne s'adressait plus qu'à moi, et je ne pouvais m'empêcher de le plaindre. Au point que je finis par lui donner l'adresse.

— Avec un ogre à vos côtés, s'écria-t-il, vous êtes sûrs d'attraper le fantôme. À demain.

Lewis ne dit rien, mais à peine dehors, je le vis bondir de rage :

— Excuse-moi, qui est le chef de cette mission ?

— Toi, répondis-je sur-le-champ.

— Alors, pourquoi as-tu donné l'adresse à l'ogre ? Je vais te le dire… parce qu'il faut toujours que tu la ramènes !

— Non, pas du tout. Je... je crois que j'avais un peu pitié de lui...

— Tu as eu pitié de notre principal suspect ! cria Lewis. En fait, le seul qu'on ait pour le moment. Tu viens de commettre une énorme bêtise. Et c'est pour ça que je te retire de cette affaire.

Chapitre 8
La toute dernière chance de Charlie

La soirée s'annonçait encore plus grise et humide que la veille. Toute la journée, Lewis n'avait cessé de répéter qu'il était fatigué et avait refusé de me parler. Il était maintenant presque 18 h, et nous nous retrouvions devant la maison de Tim.

— Tu veux vraiment que je m'en aille ? demandai-je.

— Oui, dit Lewis.

Quelques secondes s'écoulèrent. Il se tourna vers moi :

— Qu'est-ce que tu fais encore ici ?

— Eh bien, je me disais juste que si Oswald était vraiment un croquemitaine, je ne devrais pas te laisser seul avec lui.

Lewis ne répondit pas, mais tout en flottant dans les airs, il s'éloigna de moi.

— Écoute, criai-je, je suis désolé, d'accord ? Je sais que c'est toi, le chef de la mission. Je ne l'oublierai plus jamais. Mais laisse-moi rester, s'il te plaît !

Il fit volte-face.

— C'est ta toute dernière chance, Charlie.

— Merci ! Je te promets de ne pas te laisser tomber.

Une voiture se gara, et Susie en sortit.

— Allez, papa, arrête de t'inquiéter ! On a juste eu peur pour rien, hier, Tim et moi.

Ce soir, on ne verra plus de fantômes, c'est promis.

Elle se précipitait vers la porte quand une voix l'interpella :

— Susie !

— C'est Rhys, dis-je. Le garçon qui était là hier.

— Je sais bien, maugréa Lewis, encore agacé.

— Écoute-moi, Susie ! cria Rhys.

— Laisse-moi tranquille ! rétorqua-t-elle.

— Mais je suis innocent ! Ce n'était pas moi. Pourquoi ne me crois-tu pas ?

Sans répondre, elle entra dans la maison.

Rhys poussa un grand soupir, et repartit lentement vers le parc s'asseoir sur une balançoire.

— Je le plains, observai-je. Je suis sûr qu'il est innocent aussi.

Voyant la tête que faisait Lewis, je m'empressai d'ajouter :

— Mais je sais qu'on a une autre mission et que je dois l'oublier.

— Exactement.

Une église du voisinage sonna six coups.

— Oswald est en retard, ajouta-t-il.

— Pas du tout, impatients freluquets ! rugit une voix.

Il était là, derrière nous, ce qui nous fit sursauter. Nous avions oublié à quel point son aspect d'ogre était impressionnant. Je ne pouvais m'empêcher de regarder la pustule

qui lui pendait au menton. J'aurais juré qu'elle était encore plus grosse et grisâtre que la veille.

— Merci d'être venu, dit Lewis. Mais on ne veut pas que les humains vous voient.

— Ne vous inquiétez pas. Je me suis déjà rendu invisible. Aucun humain ne peut me voir ni m'entendre, sauf si je décide de lui faire une très mauvaise surprise.

Il partit d'un rire gras.

— Et je ne manquerais ça pour rien au monde, ajouta-t-il. J'aime la bagarre.

— On ne va pas se battre contre le Rat-monstre, se hâta de répondre Lewis.

— Alors, qu'est-ce qu'on va faire, demanda Oswald en brandissant ses énormes paluches. Lui serrer la pince ?

J'étouffai un petit rire.

— Non, on va juste... lui dire d'arrêter, expliqua Lewis. Le Spectromaître a dit qu'il ne fallait pas se battre.

— Comme vous voulez. Alors, on lui parlera.

Chapitre 9
Les fantômes n'existent pas

En même temps que Lewis, je dis « Silence, esprit » deux fois et traversai la fenêtre de Tim. Quelques secondes plus tard, Oswald apparut non pas tant en volant qu'en se dandinant.

— Je ne suis pas aussi rapide que vous, jeunes freluquets ! grogna-t-il.

Il vint se poser avec nous sur l'armoire. Susie faisait les cent pas dans la chambre, répétant sans cesse :

— Il n'y a pas un seul fantôme ici.

— Non, il n'y en a pas un, mais trois, dis-je en souriant.

Oswald renversa la tête en arrière pour mieux éclater de rire.

— Dis-le, toi aussi, ordonna-t-elle à Tim.

Il sursauta et finit par murmurer :

— Il n'y a pas un seul fantôme ici.

— Et crois-le ! cria-t-elle. Tes parents ne l'ont jamais vu. Pourquoi ? Parce qu'il n'était pas là du tout. On s'est juste fait peur. Les fantômes, ça n'existe pas, j'en suis certaine.

Oswald rit de plus belle.

La maman de Tim apporta un plateau chargé de boissons et de biscuits au chocolat.

— Tout va bien ? demanda-t-elle.

— Oh oui ! affirma Susie.

— Bien, mais ne vous faites plus peur l'un l'autre, promis ? Vous finiriez par faire des cauchemars.

— Promis, dit Susie.

— Ça ira, dit Tim. Au revoir, maman.

Elle comprit et s'en alla. Tim et Susie se servirent des gâteaux.

— Ça me manque un peu de ne plus manger, dis-je. Surtout les œufs de Pâques.

— Et la crème glacée, dit Lewis.

— Et les crêpes chaudes pleines de beurre, dit Oswald en se léchant les babines.

Nous parlions de nos plats préférés tandis que l'obscurité dans le coin de la pièce devenait plus présente et plus profonde.

Mais il n'y avait aucun signe du Rat-monstre.

Susie finit par se relever.

— On dirait que notre fantôme s'est absenté. Tu sais pourquoi ? Parce qu'on a cessé de croire en lui. À mon avis, on n'est pas près de le revoir.

Tim sourit de soulagement.

— Je crois bien l'avoir imaginé, mais il avait l'air si réel. Je me pensais vraiment hanté.

Tim poussa un soupir de soulagement.

— Oh, j'ai failli oublier, reprit Susie. J'ai revu Rhys, ce soir… Il se prétend toujours innocent.

— Et si… commença Tim. Et si…

Il s'interrompit et jeta un coup d'œil dehors.

— J'ai l'impression qu'il ne pleut plus. Si on sortait jouer au soccer ?

— Bonne idée ! s'écria Susie.

Ils sortirent aussitôt, nous plantant tous les trois au sommet de notre armoire.

— Et voilà, dit Oswald, pas de Rat-monstre. J'ai dû lui faire peur.

« À moins que vous ne soyez le Rat-monstre. »

Cette idée venait de jaillir à mon esprit. Et je savais que Lewis pensait la même chose. Pourtant, j'aimais bien Oswald. Il ne pouvait certainement pas commettre de pareils actes. De toute façon, pourquoi s'en prendrait-il à ce pauvre Tim ?

— Allez, on sort, dit Lewis.

Nous traversâmes tous les trois la fenêtre et filâmes vers le parc. Le vent agitait les feuilles sur les arbres dans un étrange ronflement. Il n'y avait personne à part Tim et Susie, déjà en pleine partie de soccer.

— Tu es presque aussi douée que moi ! lança Tim.

Elle se mit à rire.

— Oh non, pas autant que le grand Tim ! Mais, ajouta-t-elle, l'air inquiet, tu joues encore avec les grands… ?

— Non, plus maintenant.

Ce fut là qu'une voiture s'arrêta en klaxonnant.

— Hé, c'est mon père ! cria-t-elle. À demain. Et rappelle-toi que les fantômes n'existent pas ! cria Susie.

— D'accord.

Elle fila, le laissant frapper son ballon.

— Écoutez, murmurai-je soudain.

D'un seul coup, la rumeur dans les arbres cessa, et au milieu du silence, le cri d'un oiseau qui s'envolait retentit.

C'est alors que jaillit de l'herbe le plus petit rat qu'on ait jamais vu.

Tim l'avait aussi repéré.

— Le revoilà, balbutia-t-il.

Chapitre 10
L'étonnante découverte d'Oswald

Comme hypnotisé, trop terrifié pour bouger, Tim ne parvenait pas à se détourner du Rat-monstre. À ma grande surprise, Oswald ne dit rien non plus, laissant juste échapper un grognement choqué.

C'était surtout les yeux de la bestiole qui faisaient peur, d'un rouge profond, brillants de haine.

Sous nos regards horrifiés, il se mit à grandir comme un chien géant et tendit une énorme patte..., cette fois pointée sur Tim.

Celui-ci poussa un glapissement de terreur et déguerpit vers sa maison. Je le comprenais. Il y avait de quoi trembler. En même temps, j'étais en colère. Pourquoi cette bestiole embêtait-elle Tim ?

– On attaque ? proposai-je à Oswald.

Il ne répondit pas. Je me retournai, mais il avait disparu.

– Oswald s'est enfui, annonçai-je à Lewis.

– Et alors ? On ne va pas en faire autant.

— Sûrement pas. C'est juste un rat qui grandit beaucoup, voilà tout.

Je laissai échapper un petit rot, suivi d'un autre, plus fort.

— On y va, dis-je.

Je filai à la suite de Lewis, qui survolait la bestiole.

— Maintenant, ça suffit comme ça ! lui ordonna-t-il en le fixant dans ses yeux terrifants.

— Vous harcelez quelqu'un qui ne vous a rien fait, ajoutai-je. Allez, répondez, et surtout, arrêtez de grandir. C'est énervant.

La patte du Rat-monstre se mit à remuer, mais alors que nous nous attendions au pire, il disparut.

– Oh non ! s'exclama Lewis, furieux. Encore parti.

– On n'y arrivera pas comme ça. On n'a rien appris sur ce fantôme.

– Oh si ! dit une voix.

Oswald était revenu.

– Hé, pourquoi vous êtes-vous enfui comme ça ? demandai-je.

– Je ne me suis pas enfui. J'avais une idée, et maintenant, j'en suis sûr.

– Laquelle ? s'enquit Lewis.

– Le Rat-monstre, ce n'est pas ce que vous croyez. En fait, il n'a rien d'un fantôme. C'est un piège. Un piège très brillant tendu par un magicien.

Lewis et moi le fixèrent du regard.

– Il y a très peu de magiciens doués d'un grand pouvoir, sur terre, reprit Oswald. J'en ai rencontré un, une fois.

Il frémit.

— Disons que même les fantômes ne devraient pas les irriter. Mais j'ai découvert celui qui faisait ça. Ils ne sont jamais très loin de leurs sorts. Lui, se cachait sous un arbre, alors que les choses se produisaient ici. Suivez-moi, mais attention…

Il nous guida vers le centre du parc.

— Regardez ! s'écria-t-il.

Il désignait une silhouette assise sur un banc, à l'abri d'un grand chêne.

J'émis un léger sifflement.

C'était Rhys.

Chapitre 11
Rencontre d'un magicien

— Mais ce n'est qu'un gamin ! s'exclama Lewis.

— Les jeunes sont généralement les plus puissants, affirma Oswald.

— C'est vrai que c'est une drôle de coïncidence que les deux soirs où on a vu le Rat-monstre, Rhys traînait dans les parages, dit Lewis. Il faut qu'on lui parle immédiatement… Et là, je crois que le Spectromaître serait d'accord pour qu'on apparaisse à un humain.

— Oh, c'est sûr ! approuvai-je.

— Voulez-vous que je vous accompagne ? proposa Oswald avec empressement.

— Euh… commença Lewis.

— Ça va, j'ai compris.

Son sourcil loqueteux lui retomba sur l'œil.

— Vous ne voulez pas de moi. Je vous souhaite bonne chance. Je vais vous attendre ici.

En même temps que Lewis, je murmurai deux fois « Visualise-moi, Rhys », puis vins me poser devant lui.

Il fermait les yeux en marmonnant une sorte de litanie à voix basse.

— Excuse-moi ! lança Lewis.

Rhys ne répondit pas et continua sa psalmodie.

— Excuse-moi ! répéta mon ami.

Rhys ouvrit les yeux.

— Salut, ça va ? demandai-je en m'efforçant de rester aimable.

— Je ne vous connais pas, rétorqua-t-il. Allez-vous-en !

Il nous tourna le dos et se remit à chantonner.

— On voudrait te parler de Tim, insista Lewis. On sait que tu le harcèles avec ta magie.

Une lueur sauvage traversa le regard de Rhys.

— Oui, je harcèle Tim. Mais il l'a bien mérité. Et il va encore recevoir de la visite ce soir.

— Mais tu ne peux pas continuer à faire peur aux gens comme ça ! m'écriai-je.

— Oh si ! Parce que je suis un magicien et que je peux faire tout ce que je veux. Ce pauvre Tim se croit à l'abri du monstre pour la nuit, mais je vais le lui envoyer juste au moment où il s'endormira.

Là-dessus, il se mit à ricaner.

— Tu es dingue, dit Lewis.

— Peut-être. Dans ce cas, vous feriez mieux de ne pas trop m'embêter, tous les deux, ou je vous jette aussi un sort.

— Mais on est…

Je ne pus en dire davantage, car un éclair jaillit soudain du ciel dans notre direction. Je n'en avais jamais vu d'aussi gros. Surgi de nulle part, il nous prit par surprise. Sans nous poser davantage de questions, nous avions déjà détalé aussi vite que nos jambes pouvaient nous porter, et le rire de Rhys résonna dans nos oreilles.

Ce fut Oswald qui nous arrêta ; il prit un air consterné devant notre embarras quand il sut ce qui venait de se produire. Nous étions tous les deux fous de rage contre Rhys et contre nous-mêmes.

— Là, on n'a pas été dignes de la Brigade des esprits, maugréa Lewis.

— Je sais, approuvai-je. S'enfuir comme ça devant un éclair…

J'étais si furieux que je n'arrivais plus à me calmer ni à mettre de l'ordre dans mes

idées. J'avais la tête qui tournait. Pourtant, une brillante idée jaillit soudain. Oswald l'aima aussi.

— Tu es un génie, Charlie !

Quant à Lewis, je ne crois pas qu'il l'aurait appréciée en temps normal, mais là, il était encore tellement en colère contre Rhys qu'il accepta aussi.

Chapitre 12
Les ogres triplés

Lewis et moi allions retourner auprès de Rhys, mais cette fois, il ne pourrait nous ignorer, parce que nous allions nous métamorphoser en créatures terrifiantes.

Des ogres.

Ce qui mit Oswald en joie. Il prit ça pour un magnifique compliment. Avec Lewis, je me concentrai très fort, et peu après, nous lui ressemblions tous les deux.

– Qui croirait qu'on n'a pris qu'une leçon de métamorphose ? dis-je fièrement.

Oswald approuva.

— Moi, il m'a fallu des années d'entraînement avant d'y arriver.

Puis une idée désagréable me traversa l'esprit, au souvenir de ce que le Spectromaître avait dit : pas question de vous métamorphoser. J'avais complètement oublié. Et Lewis aussi; je préférai ne pas le lui rappeler.

Il avait l'air aussi ravi que moi d'être un ogre.

— Ces énormes pustules qui te pendent au visage, Charlie, te rendent immonde.

— Toi aussi.

— Rhys ne se moquera plus de nous, maintenant, reprit-il, tout content. Et on va l'empêcher de continuer à faire trembler Tim… ou n'importe qui d'autre.

Oswald s'éclaircit la gorge.

— Ça ne vous ennuierait pas si je venais cette fois ?

Lewis hésita. Il aurait préféré qu'on reste tous les deux, mais comment refuser, maintenant ? D'autant que nous avions si bien copié son apparence…

— Je sais, Lewis, que c'est toi le chef, reprit Oswald. Et je suivrai tes instructions à la lettre.

— Bon, d'accord, finit par répondre mon ami.

Oswald était si content qu'il bondit en l'air, essayant d'exécuter un saut périlleux, mais à mi-chemin, il s'embrouilla et s'étala lourdement sur le sol.

Le parc était désert, à part Rhys, qui demeurait assis sous son grand chêne. Alors que nous approchions, nous l'entendîmes psalmodier.

— Hé, Rat-monstre ! criai-je.

Et Oswald de renchérir :

— Hé, abruti !

Rhys fit volte-face, ouvrit la bouche, mais aucun son n'en sortit. Nous l'avions bel et bien stupéfié.

— Que… qui êtes-vous ?

— Des fantômes, répondis-je, également connus sous la dénomination d'« ogres triplés », dis-je. On peut te harceler pour le restant de tes jours et transformer tes membres en gelée, si on en a envie.

J'étais tellement content de mon nouveau personnage. Le seul ennui était que ma voix n'avait pas changé, qu'elle était loin du timbre profond et rocailleux d'Oswald.

Lewis prit le relais :

— On sait que tu fais appel à ta magie pour jouer un méchant tour à quelqu'un.

Rhys baissa la tête, tremblant de peur, mais ne dit mot.

— Allez, petit morveux ! intervint Oswald. Heureusement que tu n'es pas

un fantôme, parce que ta conduite est inqualifiable.

– Pourquoi t'en prends-tu à Tim ? demandai-je.

– Pourquoi ? explosa Rhys si brusquement que j'en sursautai. Tu sais ce qu'il m'a fait ? Susie avait un nouveau téléphone cellulaire, le dernier modèle… et Tim le lui a volé. Mais quand il a entendu dire qu'on allait fouiller tous nos casiers, il s'est affolé et l'a caché dans le mien. Après, personne ne m'a cru quand j'ai plaidé l'innocence. Je n'avais jamais rien volé de ma vie…, et surtout pas à Susie, mon amie. Sauf qu'elle ne l'est plus, maintenant, à cause de Tim. Personne ne veut croire que ce n'est pas moi, le voleur. Je parie que vous non plus.

Un lourd silence s'ensuivit.

– On pourrait, dis-je.

– Ou pas, ajouta Oswald.

– Tu as quand même très mal agi avec Tim, renchérit Lewis.

– Je sais, reconnut Rhys. Je ne savais pas quoi faire. J'ai traîné près de chez lui et je lui ai demandé plusieurs fois d'avouer, mais il n'a pas voulu.

— Alors, tu lui as jeté un sort, dis-je.

— Depuis un moment, j'avais découvert que j'étais sans doute un magicien. Mais je ne tentais que de petites choses, comme faire apparaître une tablette de chocolat. Je ne l'ai jamais dit à personne. Même pas à ma mère. Mais là, Tim m'a tellement énervé que j'ai décidé de lui faire assez peur pour l'obliger à se dénoncer. Je me rappelais l'avoir entendu dire qu'il n'aimait pas les rats. Alors, j'en ai inventé un bien terrifiant. Je ne voulais le faire qu'une fois, mais en surveillant sa chambre de l'extérieur, je me suis rendu compte que mon sort fonctionnait et je me suis un peu… enfin… emballé.

— On a cru remarquer, dis-je.

— Ensuite, je ne pouvais plus m'arrêter. C'était comme si mon nouveau pouvoir me dépassait. Mais je n'ai jamais voulu faire peur à Susie, et ce soir, j'ai attendu qu'elle s'en aille avant de recommencer. Parce que Tim, lui, l'a bien mérité.

— Et maintenant, tu vas encore lui faire peur, dit Lewis.

Rhys baissa la tête.

— Oui, mon sort était presque prêt.

— Tu possèdes un grand pouvoir, reprit Lewis, mais tu devrais faire attention à la façon dont tu t'en sers.

— Je sais, souffla Rhys en posant sur nous un regard perplexe. Au fait, j'ai l'impression de reconnaître vos voix. Ce n'est pas vous qui êtes venus me voir, tout à l'heure ?

— Oui, c'est nous, dit Lewis.

— Désolé pour ma réaction, mais j'étais fou de rage.

— Eh bien, arrête, dit Lewis, parce qu'on va faire un saut chez Tim, maintenant, pour le convaincre d'avouer que c'est lui qui a volé ce téléphone.

— Tu crois que vous pouvez ? demanda Rhys.

— Oui, dit Lewis. Mais arrête de faire peur aux gens.

Il promit de ne jamais plus effrayer personne, et nous n'avions plus qu'à trouver Tim.

— On a presque résolu l'affaire, conclut Lewis. Du moins, si Rhys dit la vérité et que c'est vraiment Tim qui a volé le téléphone.

— On va vite le savoir, répondis-je. Alors, on reprend notre apparence habituelle ?

Lewis acquiesça.

— J'aime bien jouer les ogres, mais il vaudrait mieux nous changer.

Sauf que nous ne pouvions pas.

— On doit se concentrer, dit Lewis.

Mais rien ne se produisit.

— Ne vous inquiétez pas, vous allez adorer jouer les ogres, assura Oswald.

Puis Lewis murmura :

— Je viens de me rappeler que le Spectromaître nous avait bien recommandé de ne surtout pas nous métamorphoser.

— C'est vrai, dis-je comme si je me le rappelais soudain.

— Il va être furieux, continua Lewis.

— Surtout contre toi, puisque c'est toi le chef de cette mission.

Lewis poussa un grognement.

— Je me rappelle autre chose. Le Spectromaître avait dit qu'une fois qu'on s'était métamorphosés, n'importe qui pouvait nous voir. Il va donc falloir qu'on parle à Tim sous cet aspect.

Chapitre 13
Trois ogres dans une chambre

— Franchement, je préférerais que Tim ne nous voie pas, reprit Lewis.

— Oui, approuvai-je, c'est déjà brutal d'apercevoir des ogres dehors, mais s'il y en a trois qui débarquent dans sa chambre…

— … Le pire des cauchemars, convint Oswald.

— Alors, il faudra lui parler dans le noir, dit Lewis.

Je filai vers la fenêtre avec lui, et Oswald nous rejoignit peu après.

Les rideaux de Tim étaient tirés, mais il n'arrivait pas à s'endormir et restait assis à taper sur son oreiller. Nous flottâmes au-dessus de son lit.

— Salut, murmura Lewis.

Tim tressaillit.

— Qui est là ?

— Deux esprits et un fantôme, mais ne t'en fais pas pour ça, dit Lewis.

Tim semblait très inquiet de voir ainsi débarquer ces gens inconnus. Il se leva d'un bond et tendait le bras vers sa lampe quand Lewis et Oswald crièrent avec moi :

— Non!

— Je t'en prie, ajouta Lewis, surtout n'allume pas.

Trop tard. *Clic*! La chambre fut soudain inondée de lumière, et Tim reçut le choc de sa vie. Face à ces trois silhouettes macabres, il écarquilla les yeux, et sa bouche tomba de plus en plus bas.

– Non, ne t'inquiète pas, reprit Lewis.

– Il ne doit pas t'entendre, lançai-je. Il est en état de choc.

– Allez, tu ne vas pas avoir peur de quelques furoncles, commença Oswald. C'est plutôt rigolo. Regarde, je peux faire sauter les miens.

Effectivement, la pustule grise sur son menton se mit à frétiller.

Cependant, Tim demeurait glacé d'effroi, jusqu'à ce qu'il se mette à chanceler.

– Il va s'évanouir ! criai-je.

– Non, répondit-il soudain. Parce que je sais ce qui se passe. Je suis en plein rêve, c'est ça ? Je veux dire… c'est obligatoire… trois ogres qui débarquent dans ma chambre…

Il éclata de rire, bientôt imité par chacun d'entre nous.

Tim nous fit un large sourire.

– C'est sûrement le rêve le plus dingue de ma vie !

Nous nous esclaffions encore quand Lewis remarqua :

— En fait, Tim, on t'apporte un message très important. C'est bien toi qui as volé un téléphone cellulaire ?

Tim détourna aussitôt les yeux, subitement très intéressé par sa moquette.

— Je ne sais pas de quoi vous voulez parler.

— Allez, Tim, tu ne vas pas mentir dans un rêve ! dis-je.

— D'accord, c'est moi. Mais je ne le voulais pas. Il y avait ces trois grands avec qui je jouais au soccer certains après-midi. Ils m'ont proposé d'entrer dans leur bande. Ça me tentait, mais ils voulaient que je fasse mes preuves en volant quelque chose. Ils avaient vu le nouveau téléphone cellulaire de Susie et m'ont dit que c'était ce qu'ils voulaient. Ça ne me plaisait pas… Je savais que j'avais tort de faire ça, que ces types ne valaient rien. D'ailleurs, je ne les fréquente plus.

— Et là, on a organisé cette fouille pour retrouver le téléphone cellulaire, dit Lewis. Alors, tu as paniqué et tu l'as mis dans le casier de Rhys, c'est ça ?

Il ne répondit pas tout de suite, mais finit par murmurer :

— Oui. Et je sais que je n'aurais pas dû, je m'en veux. Maintenant, je n'arrête pas de voir ce Rat-monstre… comme si c'était ma conscience qui venait me tourmenter.

— On pourrait dire ça, acquiesçai-je.

— Et maintenant ce rêve qui en rajoute, soupira Tim. Je n'aurais jamais cru que ma conscience me travaillerait comme ça. Demain, je dirai tout à Susie. Je voulais le faire ce soir, mais à la dernière minute, j'ai perdu courage. Promis, c'est ce que je ferai en premier demain.

Soudain, ses yeux se fermèrent.

— Quel rêve de fou…, mais je promets… je promets…

Et il s'endormit.

Chapitre 14
Tim tiendra-t-il sa promesse ?

En sortant de la chambre de Tim avec mes amis, je m'écriai :

— On a gagné ! On a résolu le mystère et tout remis en ordre.

— Quel soulagement ! renchérit Lewis.

Oswald nous souriait à pleines dents jaunes.

— Et si on s'offrait une nouvelle métamorphose ? Parce que là, je vous crois capables de tout.

J'échangeai un regard avec Lewis et, comme lui, me concentrai très fort en disant :

« Métamorphose arrière ». À notre grand étonnement, nous reprîmes aussitôt notre forme habituelle.

— Jusque-là, on n'y était pas arrivés, expliquai-je. Mais là, on l'a fait en quatre secondes.

— C'est parce que vous y avez vraiment cru, cette fois, expliqua Oswald. Quand on croit en soi, on est capable de tout.

Nous étions encore tout contents quand je m'exclamai :

— Au fait, comment savoir si Tim tiendra sa promesse ?

Lewis réfléchit un instant.

— On n'aura qu'à le surveiller.

À 8 h, le lendemain matin, les passants auraient pu remarquer trois petites volutes de brume devant la maison de Tim. Ils n'auraient jamais deviné qu'ils étaient en présence de deux esprits et d'un fantôme.

Normalement, Lewis et moi aurions dû être vraiment fatigués. Mais pas ce matin-là.

Autour de nous, les oiseaux piaillaient et chantaient à tue-tête, et les voitures passaient. Soudain, nous repérâmes Susie, qui arrivait à grands pas.

Tim lui ouvrit et elle entra.

— On y va ? demandai-je.

— Ce n'est pas un peu indiscret ? objecta Lewis.

— Non.

Nous n'avions pas fini de discuter que la porte s'ouvrait ; Susie sortit en trombe.

— Il lui a tout dit, conclut Oswald. Elle a l'air furieuse.

Elle était même tellement en colère qu'elle ne vit pas Rhys sur son chemin et faillit le heurter.

– Oh, pardon ! s'écria-t-elle. Tim vient de me dire que c'était lui qui avait volé mon téléphone cellulaire…

À cet instant, Tim jaillit à son tour, les appelant tous les deux.

– Ne fais pas attention à lui, dit-elle.

– Si, il faut régler ça maintenant.

L'air étonnée, elle acquiesça quand même.

Alors que Tim arrivait, Rhys commença par se détourner en murmurant :

– Hé, les trois ogres ! Je me demande si vous êtes encore dans le coin. Mais merci. Et je promets de ne jamais plus me servir de mes pouvoirs pour nuire à quelqu'un.

Puis, nous vîmes les trois amis, Rhys, Tim et Susie, s'en aller ensemble.

– Qu'en dites-vous ? lança Oswald, tout content.

– On va raconter à tout le monde combien tu nous as aidés, dit Lewis.

— Et que tu ne mérites pas du tout d'être traité de croquemitaine, ajoutai-je.

Sur le coup, il ne parvint à rien dire, mais ses pustules brillaient comme des phares.

— Vous allez vraiment me manquer, affirma-t-il. En fait, la terre ne sera plus tout à fait la même, sans vous. Revenez vite, d'accord ?

— Oh, nous reviendrons ! m'exclamai-je. Plus vite que tu ne le crois !

Plaisanteries
Comment empêche-t-on un Rat-monstre de gronder à l'arrière d'une voiture?
Sais pas, Charlie, comment?
En le mettant à l'avant!

d'esprits

pour ogres et ogresses

TOC! TOC! Qui est là?
LE CROQUE! LE CROQUE qui?
LE CROQUEMITAINE!

Quelle heure est-il
quand un ogre s'assied sur ta voiture?

L'heure d'en acheter une autre!

Ne manquez pas le prochain tome de
L'ÉCOLE DES ESPRITS!
PETE JOHNSON
L'ÉCOLE DES ESPRITS
L'Horreur des profondeurs
TOME 3
L'Horreur des profondeurs

www.ada-inc.com
info@ada-inc.com

 www.facebook.com/EditionsAdA

www.twitter.com/EditionsAdA